Eu sou a Bia. Tenho nove anos e quero lhe fazer um convite.
Venha viajar comigo para alguns países da Europa!
Você vai se surpreender com o que encontrará por lá...

Está preparado para embarcar?

Então arrume sua mala e boa viagem!

Bia

Representação sem rigor cartográfico.

SUMÁRIO

Ricardo Dreguer

Bacharel e licenciado em História pela Universidade de São Paulo.
Autor de livros didáticos e paradidáticos para o Ensino Fundamental.

Ilustrações:
Thiago Lopes

2ª edição
2017

LEITURA EM FAMÍLIA
Dicas para ler
com as crianças!
www.modernaliteratura.com.br/
leituraemfamilia

CRÉDITOS DAS IMAGENS (fotomontagens)

Página 3 – Torre: © Henryk Sadura/Shutterstock; Sopa: © Mizina/Istock Photo/Getty Images; Coliseu: © Allekk/Istock Photo/Getty Images; Monumento: © TTstudio/Shutterstock; Mala: © Monticello/Shutterstock.

Páginas 4 e 5 – Xícara e trorradas: © Peiling Lee/Shutterstock; Torre de Belém: © José Carlos Pires Pereira/Luso/Istock Photo/Getty Images; Sagrada Família: © John Kellerman/Istockphoto/Getty Images; Panteon: © TTstudio/Shutterstock; Prato de comida: © Ernesto Reghran/Pulsar Imagens.

Páginas 6 e 7 – Baralho: © Brian A Jackson/Shutterstock; Pessoa praticando Yoga: © De Visu/Shutterstock; Tampinhas: © Coprid/Shutterstock; Bichos de pelúcia: © Dimitar Sotirov/Shutterstock; Macarrão: © Olga Miltsova/Shutterstock; Livros: © Studio Vin/Shutterstock; Frutas: © Africa Studio/Shutterstock.

Página 9 – Quarto: © Photographee.eu/Shutterstock.

Página 11 – Cozinha: © FoamFoto/Shutterstock; Fotografia: © Acervo Iconographia.

Página 12 – Caneca amarela e torradas: © Peiling Lee/Shutterstock: Caneca vermelha: © FoamFoto/Shutterstock; Caneca vermelha: © In Green/Shutterstock; Cesta de pães: © Pongsatorn Singnoy/Shutterstock; Foto: ©Acervo Iconographia.

Páginas 14 e 15 – Cartaz: © Reprodução/Design Advanced Resources: Estação do Róssio: © Dimbar 76/Shutterstock; Torre de Belém: © José Carlos Pires Pereira/Luso/Istock Photo/Getty Images; Castelo de São Jorge: © Holger Mette/Istock Photo/Getty Images.

Páginas 16 e 17 – Fátima: © InnaFelker/Istockphoto/Getty IMages: Torre: © Henryk Sadura/Shutterstock; Prato de comida: © Natalia Mylova/Shutterstock.

Páginas 18 e 19 – Plaza Mayor: © Kushch Dmitry/Shutterstock: Palácio Real: © Borzywoj/Istock Photo/Getty Images; As meninas, de Velazquez: © Joseph Martin/Album/AKG Images/Latinstock (óleo sobre tela, 318 x 276 cm.); Guernica: © Pablo Ruiz Picasso, VEGAP/Latinstock © Succession Pablo Picasso / AUTVIS, Brasil, 2016 (pintura à óleo, 349 x 776 cm.).

Págs. 20 e 21 – Granada: © Thomas Muncke/Picture Alliance/Glow Images; Alhambra: © Marques Photography/Istock Photo/Getty Images; Mesquita em Córdoba: © Spanish Johnny72/Istock Photo/Getty Images; Sopa: © Mizina/Istock Photo/Getty Images.

Páginas 22 e 23 – Rambla: © Evgeny Sergeev/Istock Photo/Getty Images; Catedral de Barcelona: © BBS Ferrari/Istockphoto/Getty Images; Castelo de Montjuic: © David Garry/Istock Photo/Getty Images; Cartaz de Miró: © Succesión Miró, Miró, Joan/AUTVIS, Brasil, 2016. Parque Guell: © Andrey Danilovich/Istock Photo/Getty Images; Sagrada Família: © John Kellerman/Istock Photo/Getty Images.

Páginas 24 e 25 – Bruschetta: © Virusowy/Istock Photo/Getty Images; Tiramisù: © Alexs Maga/Istock Photo/Getty Images; Cesta de pães: © Koraysa/Shutterstock.

Páginas 26 e 27 – Pessoas: © SFM Stock 2/Alamy/Latinstock.

Páginas 28 e 29 – Basílica de Santa Maria: © Catarina Belova/Shutterstock; Prédios espanhóis: © Iakov Kalinin/Shutterstock; Cesta de pães: © Koraysa/Shutterstock; Panteon: © TTstudio/Shutterstock; Prédios da Piazza Navona: © S.Borisov/Shutterstock; Coliseu: © Allekk/Istock Photo/Getty Images.

Páginas 30 e 31 – Crianças: © Wave Break Media/Shutterstock; Instrumento musical: © Svilen Georgiev/Shutterstock; Macarrão: © Binh Thanh Bui/Shutterstock; Piano: © klikk/Istock Photo/Getty Images; Mortadela: © AC_BN Photos/Istockphotos/Getty Images.

Páginas 32 e 33 – Rack: © Velvet Ocean/Shutterstock; Sofá: © Pix11/Shutterstock.

Páginas 34 e 35 – Vaticano: © Anton Chalakov/Shutterstock; Coliseu: © Allekk/Istock Photo/Getty Images; Fontana di Trevi: © R.Nagy/Shutterstock; Camisa da seleção da Itália: © Picture-Alliance/AGB Photo Library/Keystone Brasil.

Páginas 36 e 37 – Veneza: © Blue Jay Photo/Istock Photo/Getty Images; Casal de Veneza: © Valentin Russanov/Istock Photo/Getty Images.

Páginas 38 e 39 – Paisagem: © Blue Jay Photo/Istock Photo/Getty Images; Pizzas: © W73 Photo/Shutterstock; Escavações de Pompéia: © Balounm/Shutterstock.

Páginas 40 e 41 – Foto: © Acervo Iconographia. Malas: © Dja65/Shutterstock e © El Navegante/Shutterstock.

Páginas 42 e 43 – Foto: © Arquivo do Estado de São Paulo. Malas: © Dja65/Shutterstock e © El Navegante/Shutterstock.

Páginas 44 e 45 – Pessoas e painéis: © Marek Slusarczyk/Tupungato/Istockphoto/Getty Images. Malas: © Monticello/Shutterstock.

Páginas 46 e 47 – Aparecida do Norte: © Rivaldo Gomes/Folhapress. Fátima: © InnaFelker/Istockphoto/Getty IMages. Mesa: © Ernesto Reghran/Pulsar Imagens.

Página 48 – Fortaleza Viking: © Yann Arthus-Bertrand/Getty Images. Castelo de Bran: © M. Ladensky/Istock Photo/Getty Images. Castelo de Chenonceau: © PJ Photo69/Istock Photo/Getty Images. Acrópole: © Sergey Borisov/Istock Photo/Getty Images.

© RICARDO DREGUER, 2017

EDIÇÃO DE TEXTO	Lisabeth Bansi, Patrícia Capano Sanchez
COORDENAÇÃO DE EDIÇÃO DE ARTE	Camila Fiorenza
DIAGRAMAÇÃO	Thiago Lopes
ILUSTRAÇÕES DE CAPA E MIOLO	Thiago Lopes
ASSISTENTES DE ILUSTRAÇÃO	Lucas de Moraes Teixeira, Rodnei Tavares Júnior
FOTOS DE CAPA	Coliseu: © Allekk/Istock Photo/Getty Images; Sagrada Família: © John Kellerman/Istockphoto/Getty Images; Torre: © Henryk Sadura/Shutterstock; Mala: © Monticello/Shutterstock.
COORDENAÇÃO DE REVISÃO	Elaine Cristina del Nero
REVISÃO	Andrea Ortiz
COORDENÇÃO DE ICONOGRAFIA	Luciano Baneza Gabarron
PESQUISA ICONOGRÁFICA	Cristina Mota, Maria Magalhães
COORDENAÇÃO DE *BUREAU*	Rubens M. Rodrigues
TRATAMENTO DE IMAGENS PRÉ-IMPRESSÃO	Joel Aparecido, Marina M. Buzzinaro
COORDENAÇÃO DE PRODUÇÃO INDUSTRIAL	Wendell Jim C. Monteiro
IMPRESSÃO E ACABAMENTO	Coan Indústria Gráfica Eireli
LOTE	292111

Dados Internacionais de Catalogação na Publicação (CIP)
(Câmara Brasileira do Livro, SP, Brasil)

Dreguer, Ricardo
Bia na Europa / Ricardo Dreguer. — 2ª ed. –
São Paulo : Moderna, 2017. — (Viagens da Bia)

ISBN 978-85-16-10368-2

1. Diversidade cultural 2. Literatura infantojuvenil I. Título.

16-01916   CDD-028.5

Índice para catálogo sistemático:
Diversidade cultural : Literatura infantojuvenil 028.5

EDITORA MODERNA LTDA.
Rua Padre Adelino, 758 - Belenzinho
São Paulo - SP - Brasil - CEP 03303-904
Vendas e Atendimento: Tel. (11) 2790-1300
www.modernaliteratura.com.br
2020

Impresso no Brasil

O QUE LEVEI NA BAGAGEM

MINHA FAMÍLIA

Meu pai
Flávio,
arquiteto

Adora jogar

Odeia ir à feira

**EU
Bia,**
estudante

Adoro meus

Odeio arrumar a cozinha

Minha
mãe
Márcia,
diplomata

Adora comer

Odeia perder a
hora de acordar

Namorada
do meu pai
Rute,
arquiteta

Adora fazer

Odeia acordar cedo

Filho da
namorada
do meu pai
Dani,
estudante

Adora colecionar

Odeia fazer lição de casa

Minha vó
Cleide,
aposentada

Adora

Odeia ir ao banco

Minha tia
Sueli,
jornalista

Adora comer

Odeia dia chuvoso

SOU OU NÃO SOU CRIANÇA?

Nove anos é uma idade difícil. A gente começa a ficar em dúvida se é ou não criança. E os adultos, em vez de ajudar, ainda deixam a gente mais confusa. Vira e mexe minha mãe reclama:

— Bia, senta direito que você não é mais criança.

Dali a pouco ela se contradiz:

— Bia, você ainda é muito criança para ir ao show daquele conjunto de rock.

Um dia eu explodi:

— Mãe, você precisa decidir. Afinal, eu sou criança ou não?

Minha mãe deu um sorriso malandro e disse:

— É que para algumas coisas você já está grandinha, mas para outras ainda é criança...

Acho que só as meninas ficam nessa crise de saber se ainda são crianças ou não. Os meninos nem esquentam. Eles continuam correndo feito loucos no recreio, se jogando no chão e chegando suados na aula.

O Daniel não fica nem um pouco preocupado em ser chamado de criança. Outro dia eu perguntei pra minha mãe:

— Por que os meninos e as meninas são tão diferentes?

— Diferentes em quê, filha?

— A gente é mais encanada com essa coisa de não ser mais criança.

— É que as meninas costumam amadurecer mais cedo.

— Mas às vezes dá uma inveja deles...

DESCOBRINDO OUTRAS ORIGENS

Um dia, minha mãe veio com aquela conversinha mole, que eu já sei que é sinal de confusão para o meu lado:

— Bia, eu fui convidada para trabalhar na embaixada do Brasil na Itália.

— E eu também estou nessa?

— Como sempre, a decisão é sua. Você pode ficar com seu pai.

Só para provocar, comentei:

— Desta vez você não vai dizer que vamos achar as origens dos nossos antepassados, né?

— Por que não?

— É só olhar para a nossa pele negra, mãe.

— Então, pergunte ao seu pai.

Achei que ela estava brincando. Como eu poderia ter antepassados europeus e nunca ter ficado sabendo?

No final de semana seguinte, fui dormir na casa do meu pai. Nem bem cheguei, já fui perguntando:

— Pai, nós temos antepassados europeus?

— Temos, sim. Seu tataravô era italiano.

Meu pai foi até o quarto, trouxe uma foto bem amarelada e disse:

— Este aqui é o seu tataravô Antônio, que veio da Itália em 1890 para trabalhar nas fazendas de café.

— Mas não eram os escravos que faziam esse trabalho?

— A escravidão tinha acabado dois anos antes. Nessa época, os fazendeiros e o governo apoiaram a vinda de imigrantes europeus.

Fui dormir com a pulga atrás da orelha. Na manhã seguinte, nem deixei meu pai tomar café e já fui logo perguntando:

— Então, imigrantes e ex-escravos trabalhavam juntos nas fazendas?

— Isso mesmo, filha. Foi assim que seu tataravô italiano, que veio para cá com vinte anos, se apaixonou pela sua tataravó negra.

Meu pai tomou fôlego e continuou:

— Eles enfrentaram muitos problemas. Principalmente os olhares tortos dos outros italianos, que não aceitavam sua tataravó, e de alguns negros, que não aceitavam seu tataravô.

— Mas mesmo assim eles ficaram juntos, pai?

— Ficaram. Eles tiveram vários filhos, que são seus antepassados.

Fiquei imaginando como seriam minha tataravó e meu tataravô.

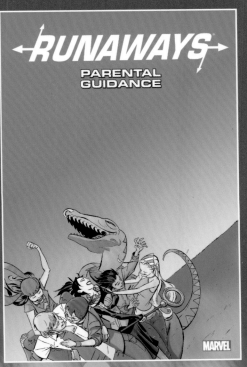

**Runaways Vol. 5:
Escape to New York**
ISBN 978-1-302-90870-6

**Runaways Vol. 6:
Parental Guidance**
ISBN 978-1-302-90871-3

**Runaways Vol. 7:
Live Fast**
ISBN 978-1-302-90872-0

**Runaways Vol. 8:
Dead End Kids**
ISBN 978-1-302-90886-7

**Runaways Vol. 9:
Dead Wrong**
ISBN 978-1-302-90910-9

THINGS GET UGLY IN A CITY OF BEAUTIFUL PEOPLE

After having said "goodbye" to one of their own, the Runaways are attempting to get back to norm
— which for them means video games, camping trips and, of course, neutralizing potential viole
threats to the City of Angels. Meanwhile, however, the popular DJ at L.A.'s KZIT radio station
concocting a devious scheme to produce a song guaranteed to take Los Angeles by storm using
mystic chant layered within the tune turning everyone into obedient zombies!

Collecting *Runaways (2008) #7-10* — by Terry Moore, Christopher Yost,
James Asmus, Takeshi Miyazawa, Norman Lee, Craig Yeung, Roland Paris,
Sara Pichelli, Emma Rios and Christina Strain.

GRAP

ISBN 978-1-302-90911-6

51499

9 781302 909116

$14.99 US $19.99 CAN
MARVEL.COM

T-

MARVE

Depois dessa aula de história, contei para o meu pai que minha mãe tinha sido convidada para trabalhar na Itália.

Meu pai comentou o assunto com o Daniel, que me mandou uma mensagem:

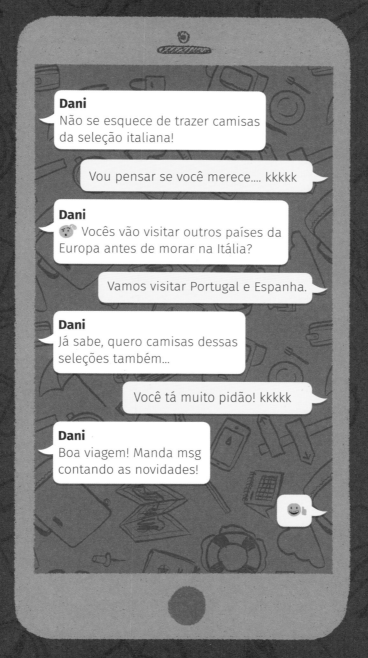

Nas semanas seguintes organizamos nossas tralhas e mandamos a maior parte direto para a Itália. Ficamos apenas com duas malas para a viagem a Portugal e à Espanha.

Além das malas, a gente levava a curiosidade de conhecer novos lugares e pessoas. E também um pouco de medo de viver num continente diferente.

Meninas de cuecas?

Na chegada a Lisboa, a capital de Portugal, nossas malas foram extraviadas. Tivemos de ir a uma loja para comprar roupas.

Lá, descobri que em Portugal os maiôs são chamados de fatos de banho e as calcinhas femininas são chamadas de cuecas!

Então, tive que comprar muitas cuecas... rs...

Começamos nosso passeio pela parte baixa da cidade de Lisboa.

Vimos alguns prédios com fachadas antigas, como a Estação do Rossio, construída há mais de cem anos.

Em um mercado, comprei a camisa da seleção portuguesa para o Daniel.

A Torre de Belém, construída há cerca de quinhentos anos, é toda decorada com detalhes esculpidos na pedra, imitando as cordas usadas nos navios antigos.

Em uma confeitaria ali perto eu comi os famosos pastéis de Belém. Uma delícia!!!!!

Na parte alta de Lisboa visitamos o castelo de São Jorge, construído há mais de mil anos. Ele foi restaurado em 1940 para voltar ao seu estilo original.

Na volta para o hotel, vimos crianças brincando na rua.

Dona Márcia (é assim que eu a chamo quando ela faz cara de professora) deu uma aula sobre a tal brincadeira.

Em Portugal essa brincadeira é chamada de jogo do eixo. Os portugueses a levaram para o Brasil, onde foi adaptada e passou a ser chamada de carniça ou pula-sela.

Mais de duzentos degraus...

De Lisboa seguimos para Fátima, onde vimos milhares de pessoas reunidas em frente à igreja.

Elas levavam velas e partes do corpo humano feitas de cera e estavam ajoelhadas para pagar promessas feitas para Nossa Senhora de Fátima.

Na cidade do Porto, visitamos a Torre dos Clérigos, construída há uns 250 anos.

Nós subimos mais de duzentos degraus, mas valeu a pena. De lá de cima deu para ver a cidade toda e o rio Douro.

Depois, visitamos as vinícolas onde é feito o famoso vinho do Porto.

No Porto comemos o famoso bacalhau à Gomes de Sá.

José Luís Gomes de Sá Júnior foi um comerciante português que viveu na cidade do Porto há cerca de cem anos. Nessa época, ele criou uma receita de bacalhau que foi batizada com seu nome.

Bacalhau à Gomes de Sá

Ingredientes

1 quilo de bacalhau

2 cebolas

1 quilo de batatas

4 dentes de alho

5 ovos cozidos

150 gramas de azeitonas pretas

Pimenta-do-reino

Sal

Meio litro de leite

Azeite

Modo de preparo

Cortar o bacalhau em postas e deixar de molho em água fria por 24 horas, trocando a água quatro vezes para tirar o excesso de sal. Retirar a pele e as espinhas e colocar em água quente por meia hora. Escorrer e cobrir com o leite quente por duas horas antes de escorrer. Cozinhar os ovos e as batatas.

Fritar a cebola e o alho no azeite. Depois acrescentar batatas cozidas, o bacalhau, a pimenta-do-reino e o sal.

Colocar em uma assadeira e levar ao forno por 20 minutos. Retirar do forno, incluir os ovos e as azeitonas e servir.

ATENÇÃO!
Esta receita deve ser feita com a ajuda de um adulto, pois envolve perigos no uso do fogão e de objetos cortantes.

Praças, palácios e museus

Em Madri, capital da Espanha, visitamos a Plaza Mayor, uma praça formada por uma grande área livre central cercada por prédios antigos de três andares e com muitas varandas.

No final da tarde, as luzes se acendem, deixando tudo muito lindo!

♔ PALÁCIO REAL

Visitamos também o Palácio Real, onde vive o rei e sua família.

Minha mãe explicou que o rei da Espanha é uma figura simbólica, pois quem governa mesmo é o primeiro-ministro, escolhido pelo partido mais votado nas eleições.

Comprei a camisa da seleção espanhola para o Daniel.

Em outro dia, visitamos o Museu do Prado. Lá nós vimos muitas pinturas. A que eu mais gostei foi As meninas, de Velazquez.

Ainda bem que eu não nasci naquela época, pois não aguentaria usar aqueles vestidos enormes, cheios de laços e babados...

No Museu Rainha Sofia vimos a famosa pintura Guernica, de Pablo Picasso.

Um quadro enorme em que aparecem muitas pessoas desesperadas, gritando e caídas no chão. Até o cavalo parece estar gritando de dor.

É mesmo chocante!

Guernica é o nome de uma cidade espanhola que foi bombardeada, em 1937, por aviões enviados pelo alemão Adolph Hitler para apoiar os militares espanhóis que haviam tomado o poder à força.

Picasso viu as fotos das pessoas atingidas pelo bombardeio e fez este quadro, um dos mais famosos do artista.

Cidades-fantasma

Chegamos a Granada às 13 horas e achamos que era uma cidade-fantasma, pois não havia ninguém nas ruas.

Minha mãe explicou que as pessoas estavam fazendo a siesta, um descanso depois do almoço, antes de voltar ao trabalho.

GRANADA

No final da tarde, visitamos Alhambra, uma fortaleza toda cercada de muros e com um palácio dentro.

Ela foi construída pelos árabes há mais de mil anos, quando eles dominaram parte da Espanha atual.

Os árabes invadiram e dominaram partes da Espanha entre os anos de 711 e 1492, quando foram definitivamente expulsos pelos espanhóis. Mas as construções que eles fizeram, como a Alhambra, estão mantidas até hoje.

Em Córdoba, visitamos uma mesquita, local de orações dos islâmicos.

Ela tinha um monte de colunas e arcos, todos pintados de amarelo e vermelho. Lindo!

Algumas partes da mesquita tinham crucifixos e uma decoração diferente, pois, depois de expulsar os islâmicos, os espanhóis transformaram o local em templo cristão.

No almoço comemos um prato delicioso chamado gaspacho.

Também peguei a receita para a vovó.

Gaspacho

Ingredientes

6 tomates maduros

Meio pepino

Meia cebola

1 pimentão vermelho

1 dente de alho

3 colheres de sopa de azeite de oliva

3 colheres de sopa de vinagre de vinho branco

pedras de gelo

sal

ATENÇÃO!
Esta receita deve ser feita com a ajuda de um adulto, pois envolve perigo no uso de objetos cortantes.

Modo de preparo

Bata todos os ingredientes no liquidificador.

Coe e sirva como uma sopa fria.

Se quiser, acompanhe com fatias de pão.

Barcelona antiga e moderna

Em Barcelona, começamos o passeio pela Rambla, uma rua larga e cheia de hotéis e restaurantes.

Entramos num mercado que vende de tudo: frutas, carnes, peixes, flores, bebidas, temperos.

Na parte antiga da cidade, visitamos a Catedral de Barcelona. Ela foi construída há mais de 600 anos, mas a fachada tem um pouco mais de cem anos. Seu estilo cheio de pontas é chamado de neogótico.

CATEDRAL DE BARCELONA

Subimos até o Castelo de Montjuic. De lá, avistamos toda a cidade de Barcelona e tiramos muitas fotografias.

Na Fundação Joan Miró, vimos diversas pinturas desse artista, que nasceu em Barcelona e fazia imagens que pareciam sonhos malucos que a gente tem.

——— // ———

Conhecemos também as obras de outro artista que nasceu em Barcelona, chamado Antoni Gaudí. Uma das suas obras mais famosas é o Parque Guell, onde aparecem diversas construções cheias de curvas e decoradas com azulejos coloridos.

Outra obra de Gaudí é a Igreja da Sagrada Família, que nunca foi terminada.

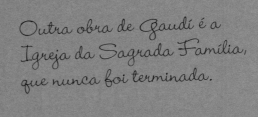

VIVENDO NA ITÁLIA

MANGIA CHE TI FA BENE!

Chegamos a Roma, capital da Itália, no meio de agosto. Pedro, um funcionário brasileiro que trabalha na embaixada, insistiu para almoçarmos com a família dele antes de irmos para nossa nova casa.

— Bia, prepare-se para um banquete! — brincou minha mãe. — O almoço dos italianos inclui uma sequência de comidas deliciosas: antepasto, primeiro prato, segundo prato, sobremesas... Por isso, eles têm o lema: "*Mangia che ti fa bene!*".

— Ótimo, pois estou morrendo de fome!

A esposa do Pedro, a Maria, começou trazendo o antepasto, chamado *bruschetta*, feito com fatias de pão, alho, tomate e beringela.

Em seguida, Maria serviu o primeiro prato: um delicioso espaguete com molho de tomate. Depois veio o segundo prato, uma carne de frango com salada de brócolis.

Por fim, a sobremesa: um doce chamado *tiramisù*. Maria notou que eu gostei e me passou a receita para eu levar para minha vó.

Tiramisù

¦INGREDIENTES¦

1 copo de café

4 ovos

Meio copo de vinho do Porto

Açúcar

300 g de chocolate meio amargo

Cacau em pó

300 g de cream cheese

300 g de biscoitos champanhe

ATENÇÃO!
Esta receita só pode ser feita com a ajuda de um adulto, pois envolve perigo no uso de instrumentos de cozinha.

— MODO de PREPARO —

Separe as gemas e as claras dos ovos. Bata as claras em neve.

Leve ao fogo o açúcar com um pouco de água e deixe ferver até virar uma calda rala. Jogue essa calda sobre as claras em neve e bata até esfriar.

Em outra vasilha misture o cream cheese e as gemas. Em seguida junte as claras batidas com açúcar.

Molhe os biscoitos no café misturado com o vinho do Porto. Cubra o fundo de uma fôrma com os biscoitos molhados.

Por cima dessa camada jogue o creme que você fez com os ovos.

Depois jogue por cima raspas de chocolate meio amargo.

Coloque outra camada de bolacha e de creme e cubra tudo com o cacau em pó.

Ponha para gelar até o dia seguinte.

///// CALENDÁRIO ESQUISITO E *CALCIO*

A Teresa, uma funcionária da embaixada brasileira, ajudou a gente a organizar nossas coisas na casa nova. No dia seguinte, minha mãe comentou:

— Amanhã você começa na escola, Bia.

— Mãe, eu vou começar a estudar no fim do ano? Já perdi muita matéria!

— Não, filha. As aulas começarão amanhã, pois o ano escolar dos italianos vai de setembro a junho do ano seguinte.

— E por que eles têm esse calendário esquisito?

— É que as férias deles são em julho e agosto, os meses de verão. Nessa época, todo mundo quer curtir sua cidade ou viajar para as praias.

— Faz sentido. Tinha esquecido que o verão deles é nos meses do nosso inverno...

Na entrada da escola, o diretor estava à nossa espera e me levou até a sala de aula. Lá eu me juntei a outros alunos novos que estavam encostados na lousa, sendo apresentados à classe pela professora.

Quando a professora disse que eu era do Brasil, alguns meninos gritaram:

— *Calcio, calcio...*

Percebendo que eu não entendia, a professora explicou:

— *Calcio* quer dizer futebol. É que os meninos daqui são loucos por esse esporte, que tem uma relação muito forte com o Brasil.

— Deve ser porque muitos jogadores dos times italianos são brasileiros — comentei orgulhosa.

OLHARES TORTOS

Na hora do lanche, sentei em um cantinho para comer e percebi que muitos alunos de outras classes estavam me olhando, mas ninguém falou nada.

No final da tarde, minha mãe veio me buscar com um carro alugado:

— E aí, filha, como foram as aulas?

— Pra primeiro dia, acho que fui bem.

— Conseguiu fazer alguma amizade?

— Não. E acho que vai ser difícil, pois várias meninas e meninos ficaram me olhando torto no lanche. Acho que é porque sou negra.

— Alguém falou alguma coisa pra você?

— Não. Mas eu vi que há poucas crianças negras na escola.

Minha mãe ficou um momento pensativa e, depois, comentou:

— No início, as pessoas sempre estranham as diferenças. Isso é normal. O problema é se vira preconceito.

Minha mãe já havia me explicado bem o sentido dessa palavra. Uma vez ela me disse que preconceito significa alguém achar que o outro não é legal só porque é diferente da gente. Porque tem outra cor de pele. Ou outra religião. Ou é mais gordo ou mais baixo que a gente.

Nessa hora eu falei já com voz de choro:

— Será que eles têm preconceito contra negros?

— Calma, filha. Hoje foi só o primeiro dia.

Apesar de dar uma de forte, eu não queria ter que aguentar aqueles olhares pra cima de mim na hora do lanche.

MAESTRO E MORTADELA

Nas semanas seguintes, as coisas foram se acalmando. Meu italiano começou a melhorar com as aulas de reforço. Eu percebi que várias palavras que usamos no Brasil são de origem italiana:

— Professora, o *tchau* que falamos no Brasil veio do *ciao* italiano?

— Veio, sim, Bia. Só que na Itália ele é usado de forma diferente: quando a pessoa está chegando e também quando está se despedindo.

— Macarrão, mortadela, pastel, salame, salsicha também são palavras de origem italiana?

— Sim, elas se referem a alimentos que os italianos levaram para o Brasil. Mas há outras ligadas às artes, como cenário, camarim, bandolim, piano, maestro, serenata e violoncelo, por exemplo.

Aos poucos, os colegas de classe foram se aproximando e um deles disse:

— Brasil, *calcio, molto calcio*...

— Sim, no Brasil se joga muito futebol.

Aí eu combinei com ele de trocar uma camisa do Brasil por uma da seleção italiana.

Um dia, uma das meninas da classe se aproximou e disse:

— Meu nome é Carmela. Quer almoçar comigo hoje?

— Claro — disse, meio sem jeito.

A partir desse dia, passamos a almoçar sempre juntas. E conversávamos sobre tudo: as diferenças entre a Itália e o Brasil, os meninos, as outras meninas...

Um dia, a Carmela me convidou para ir na casa dela depois da aula e minha mãe dei-xou. Chegando lá, ela perguntou:

— Você gosta de histórias em quadrinhos?

— Gosto um pouco, mas o Daniel, filho da namorada do meu pai, adora...

— Você gosta do *Zio Paperone*?

— Quem?

Ela me mostrou o gibi com um personagem que eu conheço bem, mas com outro nome:

— No Brasil ele se chama Tio Patinhas.

Depois de ler uns gibis, nós jogamos *video game*, escutamos músicas e comemos a me-renda, um lanche da tarde que as crianças italianas costumam fazer todo dia.

Eu tive vontade de dizer que ainda estava com a barriga cheia do almoço, mas achei que a mãe da Carmela ia ficar chateada. Então, comi a tal merenda: pão com geleia e suco de laranja.

Depois, ligamos a televisão. Apesar de não entender tudo que era falado, eu comentei:

— Esses programas se parecem com os que passam no Brasil.

— É mesmo, Bia?

— Sim. Lá também temos programas de auditório, com plateias que assistem gente cantando, fazendo apresentações de dança ou imitações.

Dali a pouco, a mãe da Carmela nos chamou para o jantar. Não teve entrada e o primeiro prato foi uma sopa de legumes. Depois, comemos uma espécie de tábua de frios, com vários tipos de queijo, presunto, salame e mortadela.

Realmente, os italianos adoram comer bem!

No sábado, minha mãe e eu aproveitamos para passear. Começamos pelo Vaticano, uma cidade-estado independente, formada por um conjunto de prédios cercados por um muro que os separa do restante da cidade de Roma.

No Vaticano, visitamos a Basílica de São Pedro, a maior igreja católica do mundo. Ela tem uma cúpula enorme, estátuas e colunas gigantes. Vimos também a Capela Sistina. É uma sala quadrada, sempre cheia de gente olhando para o teto para ver as pinturas feitas por Michelangelo. Apesar da dor no pescoço, valeu a pena!

Em Roma, a visita mais emocionante foi ao Coliseu. Por fora ele parece um grande estádio de futebol, mas por dentro é bem diferente. Apesar de estar em ruínas, dá para ver as arquibancadas e os locais onde os gladiadores lutavam.

A mamãe explicou que muitos gladiadores eram escravos obrigados a lutar até a morte com outros homens ou com leões.

Visitamos também a Fontana de Trevi, uma fonte cheia de estátuas. Lá é costume jogar uma moeda na fonte e fazer um pedido. Eu fiz o meu, mas é segredo...

No domingo, fomos ver um jogo entre os dois principais times de futebol de Roma: Lazio e Roma. O jogo foi muito disputado e terminou empatado em dois a dois. Chegando em casa mandei uma mensagem para o Daniel:

Em dezembro tive férias de quinze dias na escola. Minha mãe também tirou férias na embaixada e a gente aproveitou para visitar o norte da Itália. É uma região muito diferente de Roma, com clima mais frio. Deu até para ver neve e esquiar! Lógico que eu tomei uma porção de tombos, mas minha mãe caiu muito mais.

Na noite de Natal comemos uma bela ceia com carne de cordeiro e peru. Também não faltou o panetone, que os imigrantes italianos levaram para o Brasil.

Depois do Natal, do Ano-Novo e do Dia de Reis, as aulas recomeçaram, mas foram interrompidas novamente para o Carnaval. Eu e a mamãe viajamos para Veneza, onde acontece a festa mais tradicional da Itália.

A cidade é diferente de tudo o que eu já tinha visto.

— Mãe, como a cidade foi construída dentro da água?

— Inicialmente, os venezianos ocuparam um conjunto de 65 pequenas ilhas de uma lagoa salgada. Depois, passaram a aterrar áreas alagadas perto das ilhas para ampliar as construções. Assim, diminuíram a distância entre as ilhas, gerando estreitos canais sobre os quais fizeram pontes, que interligaram as diversas partes da cidade.

A festa de Carnaval foi na praça principal da cidade, chamada São Marcos. Lá ocorreram os desfiles de pessoas com fantasias feitas de veludo ou seda, cheias de babados, bordados e outros detalhes. Elas usavam chapéus grandes e máscaras brancas enfeitadas em dourado ou prateado.

— Mãe, não tem música nesse Carnaval?

— Não, filha. O forte do Carnaval de Veneza são as máscaras, uma mais linda que a outra!

— Mas por que é tão diferente do nosso Carnaval?

— O Carnaval de Veneza mantém o estilo tradicional das festas que ocorriam nessa cidade há cerca de trezentos anos. Já o nosso Carnaval tem outras origens, misturando tradições trazidas pelos portugueses, como as brincadeiras de jogar água e farinha, com os ritmos de origem africana trazidos pelos escravos.

Depois do Carnaval, voltamos pra rotina do dia a dia. E assim se passaram as semanas e os meses. E, de repente, nosso tempo na Itália estava acabando...

PIZZA E VIAGEM NO TEMPO

Antes de voltar para o Brasil, nós fomos conhecer o sul da Itália. No caminho do ônibus vimos grandes fazendas, com plantações de trigo e frutas, especialmente uvas. Dormimos em Nápoles e no dia seguinte visitamos um bairro com ruas estreitas, muitas igrejas e construções antigas.

À noite, fomos comer um alimento muito famoso no Brasil.

— É verdade que foram os napolitanos que inventaram a pizza?

— Mais ou menos. Vários povos antigos já comiam massas redondas. Mas os napolitanos criaram a pizza moderna, com tomate e muçarela.

— Então, já sei. Foram os imigrantes napolitanos que levaram a pizza para o Brasil — completei com ar de professora.

No dia seguinte fomos para Pompeia, uma cidadezinha que fica perto de Nápoles.

Em Pompeia parece que a gente entrou numa máquina do tempo e voltou para a época dos romanos antigos. Tem ruas inteiras e vários prédios daquele tempo: padarias com fornos, casas com jardins, lugares para banho e um enorme teatro.

Dona Márcia explicou que esses prédios foram enterrados pelas cinzas de um vulcão chamado Vesúvio. E a cidade só foi descoberta por acaso mais de mil e quinhentos anos depois por um homem que comprou um terreno e escavou para procurar mármore.

O mais chocante são as pessoas que tentaram fugir das cinzas. Elas viraram pedra do jeito que estavam: correndo, tentando se esconder ou gritando. Dá um medo danado olhar para elas. Parece filme de terror.

O vulcão ainda está lá, mas dizem que não está mais ativo. Espero que seja verdade!

Quando voltamos para Roma, começamos os preparativos para a volta ao Brasil, nos despedindo dos amigos e arrumando nossas malas. Na véspera da viagem tive uma sensação estranha. Fui dormir meio esquisita, sem saber por quê. Seria apenas cansaço?

Quando acordei não estava na mesma cama. Estava deitada num monte de palha. Perto dali tinha muita gente com roupas estranhas.

No meio do povo, reconheci um rosto: era meu tataravô Antônio, o da foto amarelada que meu pai mostrou. Tentei falar com ele, mas percebi que ninguém me via nem ouvia. Será que era um sonho?

Na dúvida, segui meu tataravô e o tio dele. Chegamos em frente a um grande navio a vapor. Na escada de entrada um homem disse:

— Vocês vão para a terceira classe.

Antônio quis saber:

— Tio, o que é terceira classe?

— É a parte de baixo do navio, onde viajam os pobres como nós. Só os ricos vão na parte de cima.

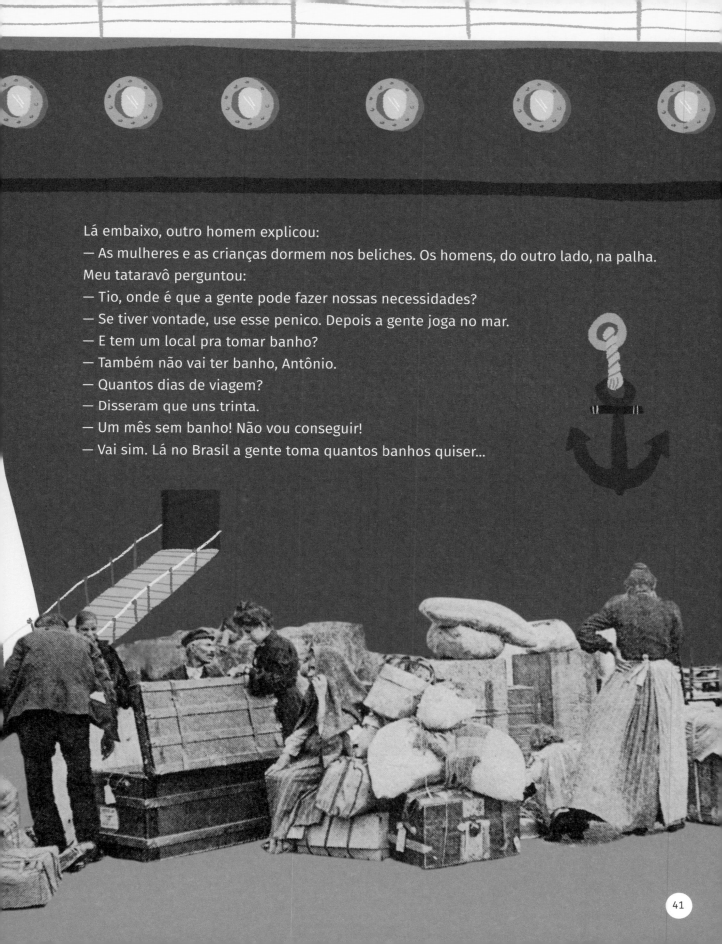

Lá embaixo, outro homem explicou:

— As mulheres e as crianças dormem nos beliches. Os homens, do outro lado, na palha.

Meu tataravô perguntou:

— Tio, onde é que a gente pode fazer nossas necessidades?

— Se tiver vontade, use esse penico. Depois a gente joga no mar.

— E tem um local pra tomar banho?

— Também não vai ter banho, Antônio.

— Quantos dias de viagem?

— Disseram que uns trinta.

— Um mês sem banho! Não vou conseguir!

— Vai sim. Lá no Brasil a gente toma quantos banhos quiser...

SONHO OU REALIDADE?

Depois da longa viagem chegamos ao porto de Santos, em São Paulo. Quando descemos, o Antônio perguntou:

— Para onde vamos agora, tio?

— Pegar o trem para a capital. Lá vamos ficar numa hospedaria do governo até arrumar uma fazenda de café para trabalhar.

Chegamos na capital e fomos direto para a tal hospedaria, onde ficamos uma semana. Depois pegamos novamente um trem.

— Tio, a fazenda é muito longe?

— Dizem que não. Acho que chegaremos amanhã...

Descemos do trem e seguimos a pé até a fazenda, carregando as trouxas de roupas na cabeça.

Na chegada, fomos levados para a colônia. Era uma fileira de casinhas de barro cobertas de palha, com números nas portas.

Depois de ajeitar as trouxas, os italianos foram todos para um grande terreiro. No caminho, viram alguns ex-escravos que trabalhavam na fazenda. Entre eles minha tataravó.

Deixei o Antônio e o tio dele seguirem para o terreiro e fiquei observando aquela negra linda. O sorriso dela me lembrava o da minha mãe.

Nessa hora alguém me cutucou forte. Era minha mãe:

— Bia, acorda e se troca rápido, senão a gente perde o avião.

Estava de volta na minha cama. Ufa! Tudo tinha sido um sonho.

Mas depois fiquei encucada: como é que eu vi tantos detalhes que eu não conhecia, como a viagem no navio a vapor e as casinhas da colônia? Será que foi mesmo um sonho?

O QUE EU TROUXE NA BAGAGEM

CIAO, ITÁLIA

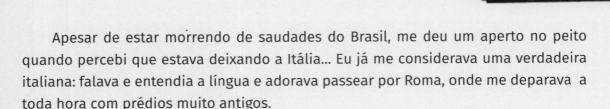

Apesar de estar morrendo de saudades do Brasil, me deu um aperto no peito quando percebi que estava deixando a Itália... Eu já me considerava uma verdadeira italiana: falava e entendia a língua e adorava passear por Roma, onde me deparava a toda hora com prédios muito antigos.

Na chegada ao aeroporto, lá estava a família reunida à nossa espera.

— E aí, como está minha *bambina*? — disse meu pai enquanto me abraçava forte.

— *Adesso ristretta* — respondi em italiano.

Minha mãe traduziu:

— Agora ela está apertada pelo seu abraço de urso, Flávio.

Meu pai me soltou rindo e eu abracei a vó Cleide, que estava com os olhos cheios de lágrimas.

44

O Daniel já foi perguntando:

— Trouxe as camisas dos times e seleções da Europa?

— Algumas. Se fosse comprar todas, ia estourar a conta do papai...

Nas semanas seguintes, ajeitei minhas coisas, pois em agosto ia voltar para a escola. Mesmo no meio do ano, era um jeito de me adaptar novamente às matérias do Brasil.

Minha tia Sueli pediu que eu contasse algo engraçado sobre Portugal. E é lógico que eu citei a história das cuecas femininas...

— Tem outras palavras assim?

— Experimenta tentar comprar um chiclete – brinquei.

Como ninguém entendeu a piada, eu expliquei:

— É que em Portugal chiclete é chamado de pastilha elástica!!!

▰▰▰ DESCOBRINDO NOVAS RAÍZES

No primeiro dia de aula, fui o centro das atenções. A professora perguntou o que mais havia me marcado em Portugal.

Respirei fundo e expliquei:

— O que mais marcou foi a cena de um monte de gente rezando e pagando promessas na cidade de Fátima. Eu lembrei dos romeiros de Aparecida e das promessas da minha vó. Aí eu vi como os portugueses nos influenciaram na religião.

— E da Espanha, o que mais marcou? — perguntou a professora.

— A cidade-fantasma, sem ninguém na rua e com todas as lojas fechadas no meio da tarde...

— Que história é essa? — quis saber o Pedro.

— É que na Espanha as pessoas costumam fazer a *siesta*, um descanso depois do almoço, e só voltam para o trabalho depois das cinco da tarde.

— E como foi viver na Itália? — perguntou minha velha amiga Paty.

— Na Itália, eu percebi que muitos costumes dos brasileiros vieram de lá. Muitos alimentos que comemos, como a pizza, são italianos e também palavras que usamos no nosso dia a dia, como o *tchau*.

BRASIL   PORTUGAL

Depois daquela explicação, voltei para o meu canto na classe. Algum tempo depois, os colegas pararam de me perguntar sobre a Europa.

Mas, no final do ano, as lembranças da minha viagem voltaram fortes. Como sempre, a gente se reuniu na casa da vó Cleide para a ceia de Natal.

O cheiro dos salgados e dos doces que minha vó Cleide estava fazendo me lembraram as comidas maravilhosas que eu comi em cada país visitado: o bacalhau português, o gaspacho espanhol, o *tiramisù* italiano...

Mas o que mais me emocionou foi ver a família toda reunida comendo. Lembrei-me da família do Pedro e da Carmela, sempre reunidos, felizes, em torno das refeições.

Aí, pensei que, nesse dia de Natal, milhões de brasileiros estavam sendo um pouco portugueses, espanhóis e italianos, mesmo sem saber...

EUROPA: VIAJANDO UM POUCO MAIS

DINAMARCA

Na Dinamarca, o que eu mais gostei foram as enormes fortificações construídas pelos Vikings, que viveram por lá há milhares de anos.

Visitamos uma dessas fortificações, composta por uma muralha grossa, formando um grande círculo.

Fiquei imaginado como seriam as casas dos Vikings que viviam dentro dessa forteleza.

ROMÊNIA

Na Romênia, adorei a visita ao castelo de Bran, onde teria vivido o príncipe Vlad III, que foi a inspiração para o personagem Drácula.

O guia nos contou que Vlad era um guerreiro que costumava matar seus inimigos de forma violenta e dolorosa.

O passeio foi ótimo, mas não quis dormir na cidade. E se o fantasma do Vlad resolve aparecer no meio da noite?

Representação sem rigor cartográfico.

FRANÇA

O que eu mais gostei na França foi o passeio pelo Vale do Loire, onde se encontram castelos maravilhosos.

O mais impressionante é o Castelo de Chenonceau, cujos pilares estão no rio Cher.

O guia nos contou que ele é conhecido como "Castelo das Damas", pois lá viveram mulheres poderosas como Catarina de Médici, que ajudou seus filhos a governar a França depois da morte do marido.

Queria viver nesse palácio como a tal Catarina...

GRÉCIA

Em Atenas, capital da Grécia, visitamos a famosa Acrópole, construída no alto da cidade.

A parte mais impressionante é o Parthenon, um templo dedicado à deusa grega Atena, construído há dois mil e quinhentos anos.

As vinte e cinco colunas cheias de detalhes mostram como os gregos caprichavam nas suas construções.

Passear pelo Parthenon é como fazer uma viagem no tempo!